ANTONÍN DVOŘÁK

SOUBORNÉ VYDÁNÍ · GESAMTAUSGABE
COMPLETE EDITION · EDITION COMPLETE

ANTONÍN DVOŘÁK

POETIC TONE-PICTURES
IMPRESSIONS POETIQUES

op. 85

PIANO

Critical edition
based on the composer's manuscript
Edition critique d'après le manuscrit
de l'auteur

SPOLEČNOST ANTONÍNA DVOŘÁKA

ANTONÍN DVOŘÁK

POETICKÉ NÁLADY

POETISCHE STIMMUNGSBILDER

op. 85

PIANO

Kritické vydání
podle skladatelova rukopisu
Kritische Ausgabe nach dem Manuskript
des Komponisten

BÄRENREITER PRAHA

POETICKÉ NÁLADY

Podle původních pramenů k tisku připravila Komise pro vydávání děl Antonína Dvořáka:
Otakar Šourek – František Bartoš – Jan Hanuš – Jiří Berkovec – Jarmil Burghauser – Antonín Čubr –
Ladislav Láska – Antonín Pokorný – Karel Šolc

KLAVÍRNÍ CYKLUS „POETICKÉ NÁLADY", 85. dílo *Antonína Dvořáka* (8. IX.
1841—I. V. 1904), je třetí v řadě programově pojatých skladeb mistrových, která se začala
dramatickou předehrou „Husitská" (1883) a přes čtyřruční klavírní cyklus „Ze Šumavy"
(1884) a „Poetické nálady" (1889) pokračovala cyklem tří ouvertur „V přírodě", „Karneval" a „Othello" (1891—92), aby k posledu vyvrcholila v pěti symfonických básních
„Vodník", „Polednice", „Zlatý kolovrat", „Holoubek" (1896) a „Píseň bohatýrská" (1897).
V cyklu „Poetické nálady" — stejně jako v cyklu „Ze Šumavy" — je ovšem programový
ráz omezen pouze na označení té které skladby, jak to sám Dvořák napověděl v dopise
berlínskému nakladateli Simrockovi (19. V. 1889), když mu oznamoval vznik cyklu a dodával: „Skladby se Vám budou líbit. Každý kus bude míti titul a *má něco vyjadřovat*, tedy
jakási programní hudba, avšak ve smyslu Schumannově; a hned musím podotknout, že
neznějí schumannovsky…" Názvy jednotlivých skladeb případně vystihují, jaké to byly
podněty, které zde inspirovaly Dvořákův tvůrčí projev: intimní dojmy a nálady nitra, jak
je přinášely současné zážitky v přírodním kouzlu vysockého kraje i vzpomínky na jeho
minulost. To vše vtělil Dvořák do třinácti klavírních skladeb, v nichž svěží hudební půvaby se sdružují s poeticky cítěným obsahem myšlenkovým a s barvitě znějící stylizací
nástrojovou.

   „Poetické nálady" byly v náčrtu začaty dne 16. dubna 1889 a v čistopise pracovány
v době od 17. dubna do 6. června téhož roku, zprvu v Praze, později ve Vysoké u Příbrami.

Otakar Šourek

POETISCHE STIMMUNGSBILDER

Nach Originalquellen zum Druck vorbereitet von der Kommission für die Herausgabe der Werke
Antonín Dvořáks: Otakar Šourek – František Bartoš – Jan Hanuš – Jiří Berkovec – Jarmil Burghauser –
Antonín Čubr – Ladislav Láska – Antonín Pokorný – Karel Šolc

DER KLAVIERZYKLUS „POETISCHE STIMMUNGSBILDER", das 85. Werk
Antonín Dvořáks (8. IX. 1841—I. V. 1904), ist das dritte in der Reihe der programmatisch
gehaltenen Kompositionen des Meisters, welche mit dem dramatischen Vorspiel „Hussitenlied" (Husitská, 1883) begann, mit dem vierhändigen Klavierzyklus „Aus dem Böhmerwalde" (Ze Šumavy, 1884) und „Poetische Stimmungsbilder" (Poetické nálady, 1889),
sowie mit einem Zyklus von drei Ouvertüren „In der Natur" (V přírodě), „Karneval"
und „Othello" (1891—92) fortgesetzt wurde, um dann in fünf symphonischen Dichtungen

„Der Wassermann" (Vodník), „Die Mittagshexe" (Polednice), „Das goldene Spinnrad"
(Zlatý kolovrat), „Die Waldtaube" (Holoubek) — alle 1896 — und „Heldenlied (Píseň
bohatýrská, 1897) ihren Höhepunkt zu erreichen. Im Zyklus „Poetische Stimmungsbilder"
ist ebenso wie im Zyklus „Aus dem Böhmerwalde" der programmatische Charakter aller-
dings nur auf die Betitelung der betreffenden Kompositionen beschränkt, wie es Dvořák
selbst in seinem Brief an den Verleger Simrock (19. V. 1889) bemerkte, in welchem er ihm
die Entstehung des Zyklus anzeigte: „Die Kompositionen werden Ihnen gefallen. Jedes
Stück wird einen Titel haben und *soll etwas zum Ausdruck bringen*, also gewissermaßen eine
Programmusik, jedoch eine im Sinne Schumanns; ich muß gleich erwähnen, daß die Stücke
nicht schumannisch lingen..." Titel der einzelnen Kompositionen verweisen treffend auf
die Anregungen, welche hier Dvořáks Schaffen inspiriert haben: die intimen Eindrücke
und seelischen Stimmungen, wie sie die gegenwärtigen Erlebnisse im Zauber der Natur-
schönheiten der Gegend von Vysoká, sowie das Gedenken an vergangene Zeiten hervorge-
rufen haben. Dies alles hat Dvořák in dreizehn Klavierstücke eingegliedert, in welchen
sich frische musikalische Anmut zu poesieerfülltem Gedankeninhalt und zu farbig klingen-
der instrumentaler Stilisierung gesellt.

Die „Poetischen Stimmungsbilder" wurden in der Skizze am 16. April 1889 begonnen,
an der Reinschrift wurde vom 17. April bis zum 6. Juni desselben Jahres, zunächst in Prag,
später in Vysoká bei Příbram gearbeitet.

Übersetzt von I. Turnovská   Otakar Šourek

POETIC TONE-PICTURES

*Critical edition based on original sources and prepared for the press by the Editing Board for the Works
of Antonín Dvořák: Otakar Šourek – František Bartoš – Jan Hanuš – Jiří Berkovec – Jarmil Burghauser –
Antonín Čubr – Ladislav Láska – Antonín Pokorný – Karel Šolc*

THE PIANO CYCLE „POETIC TONE-PICTURES", the 85th work composed
by *Antonín Dvořák* (8. IX. 1841—1. V. 1904), is the third of a number of „programme"
works beginning with the dramatic overture, the „Hussite" (1883) and including the group
of piano duets „From the Bohemian Forest" (1884), the „Poetic Tone-Pictures" (1889),
the great cycle of three overtures — „In Nature's Realm", „Carnival" and „Othello"
(1891—92), and culminating in the five symphonic poems, „The Water-Goblin", „The
Noon Witch", „The Golden Spinning-Weel", „The Wild Dove" (1896) and „The Hero's
Song" (1897). In the cycle of „Poetic Tone-Pictures", as in the cycle „From the Bohemian
Forest", the „programme" character of the compositions is limited to the title by which
the individual works are designated, as Dvořák himself explained in a letter to his Berlin
publisher, Simrock (19. V. 1889), informing him of their existence and adding: „You will
like the compositions. Each piece has a title and *is meant to describe something*, and so is
programme music of a kind, but in the Schumann conception. But I must add at once

that they do not sound Schumannesque..." The titles of the different pieces give a good indication of the impulses which prompted Dvořák to write them: the intimate impressions and moods evoked by his enjoyment of the natural beauties of the Vysoká countryside, where they were composed, and recollections of its past. All this Dvořák has embodied in thirteen pieces for piano in which the freshness of the music combines with the poetic perceptiveness of the thought-content and the colourful piano setting.

The sketches for the „Poetic Tone-Pictures" were begun on April 16th, 1889, and the final version completed between April 17th and June 6th of the same year, first in Prague and later at Vysoká, by Příbram.

Translated by R. Samsour   Otakar Šourek

IMPRESSIONS POETIQUES

Préparé pour le l'impression d'après les documents authentiques par la Commission pour la publication des œuvres d'Antonín Dvořák: Otakar Šourek – František Bartoš – Jan Hanuš – Jiří Berkovec – Jarmil Burghauser – Antonín Čubr – Ladislav Láska – Antonín Pokorný – Karel Šolc

LE CYCLE POUR PIANO „IMPRESSIONS POETIQUES", oeuvre 85 *d'Antonín Dvořák* (8. IX. 1841—1. V. 1904) est la troisième oeuvre dans la série de compositions à programme du Maître. Cette série a été inaugurée par la dramatique „Ouverture hussite" (1883), et après le cycle pour piano à quatre mains „Dans la Šumava" (1884) et „Impressions poétiques" (1889), elle a continué dans le cycle de trois ouvertures „Dans la nature", „Le Carneval" et „Othello" (1891—92), pour aboutir à son apogée, à ses cinq poèmes symphoniques „L'Ondin", „La Fée de midi", „Le Rouet d'or", „Le Pigeonneau" (1896) et „Le Chant héroique" (1897). Dans le cycle „Impressions poétiques" ainsi que dans le cycle „Dans la Šumava", le caractère d'une musique à programme se borne en fait au choix du titre de telle ou telle composition, comme d'ailleurs Dvořák l'a fait comprendre dans sa lettre adressée à l'éditeur Simrock à Berlin (le 19 mai 1889), en lui annonçant la composition du cycle, et en ajoutant: „Je suis sûr que les compositions vous plairont. Chaque pièce aura son titre à elle, parce que chacune *doit exprimer quelque chose*. C'est donc une musique à programme, mais plutôt dans le sens qui lui est attribué par Schumann. J'ajoute cependant que l'effet sonore est bien différent de celui des compositions de Schumann..." Les titres des compositions particulières en disent long sur les sources d'inspiration de Dvořák: ce sont, en effet, des impressions intimes, des états d'âme inspirés par les charmes de la nature à Vysoká, et par les souvenirs du passé du pays. Tout cela, Dvořák l'a mis dans ses treize compositions pour piano, qui sont remplies de beauté musicale fraîche, d'idées poétiques et de couleurs d'expression pianistique.

Les „Impressions poétiques" ont été ébauchées le 16 avril 1889; elles ont été travaillées et présentées dans leur forme définitive entre le 17 avril et le 6 juin de la même année, partiellement à Prague, partiellement à Vysoká près de Příbram.

Traduit par V. Kripner   Otakar Šourek

POETICKÉ NÁLADY

POETISCHE STIMMUNGSBILDER · POETIC TONE-PICTURES
IMPRESSIONS POETIQUES

1. NOČNÍ CESTA

NÄCHTLICHER WEG · TWILIGHT WAY

EN CHEMINANT DANS LA NUIT

17. IV. 1889

ANTONÍN DVOŘÁK, op. 85
(1841–1904)

H 338

4

Poco meno mosso - quasi andantino

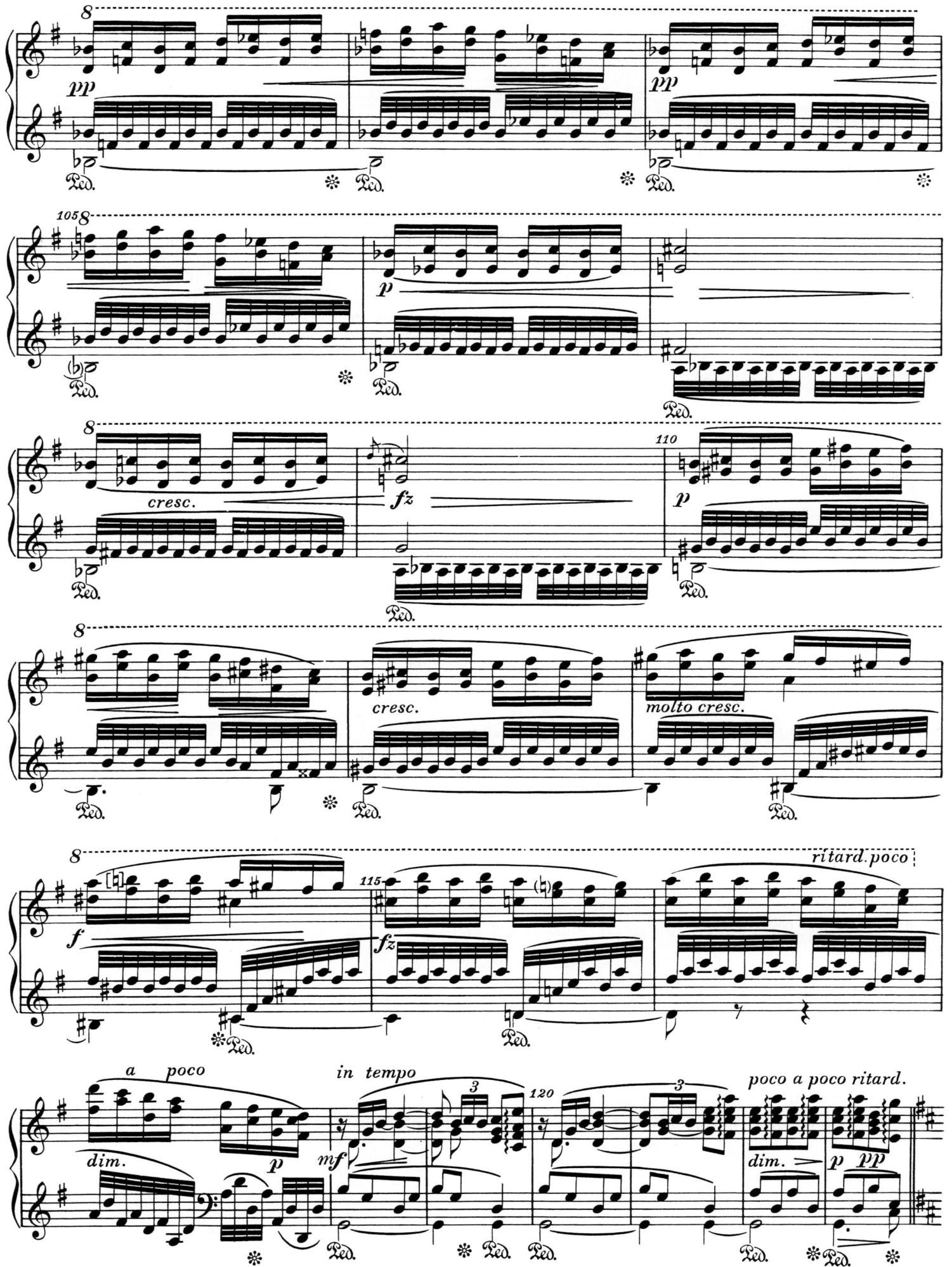

Allegro moderato (Tempo I)

2. ŽERTEM
TÄNDELEI · TOYING
BADINAGE

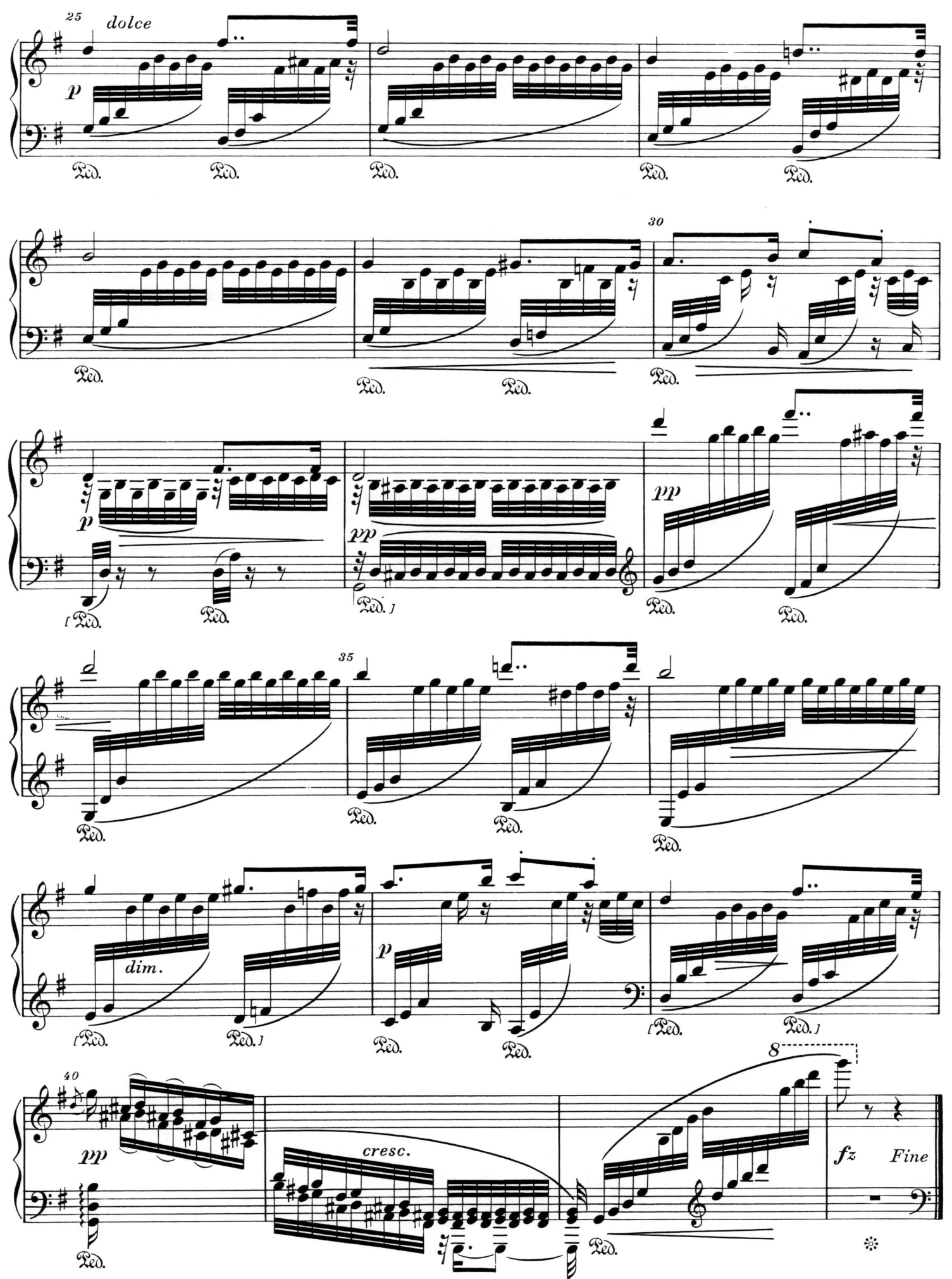

Da Capo al Fine

3. NA STARÉM HRADĚ

AUF DER ALTEN BURG · IN THE OLD CASTLE
AU VIEUX CHATEAU

4. JARNÍ
FRÜHLINGSLIED · SPRING SONG
CHANSON DE PRINTEMPS

Poco allegro

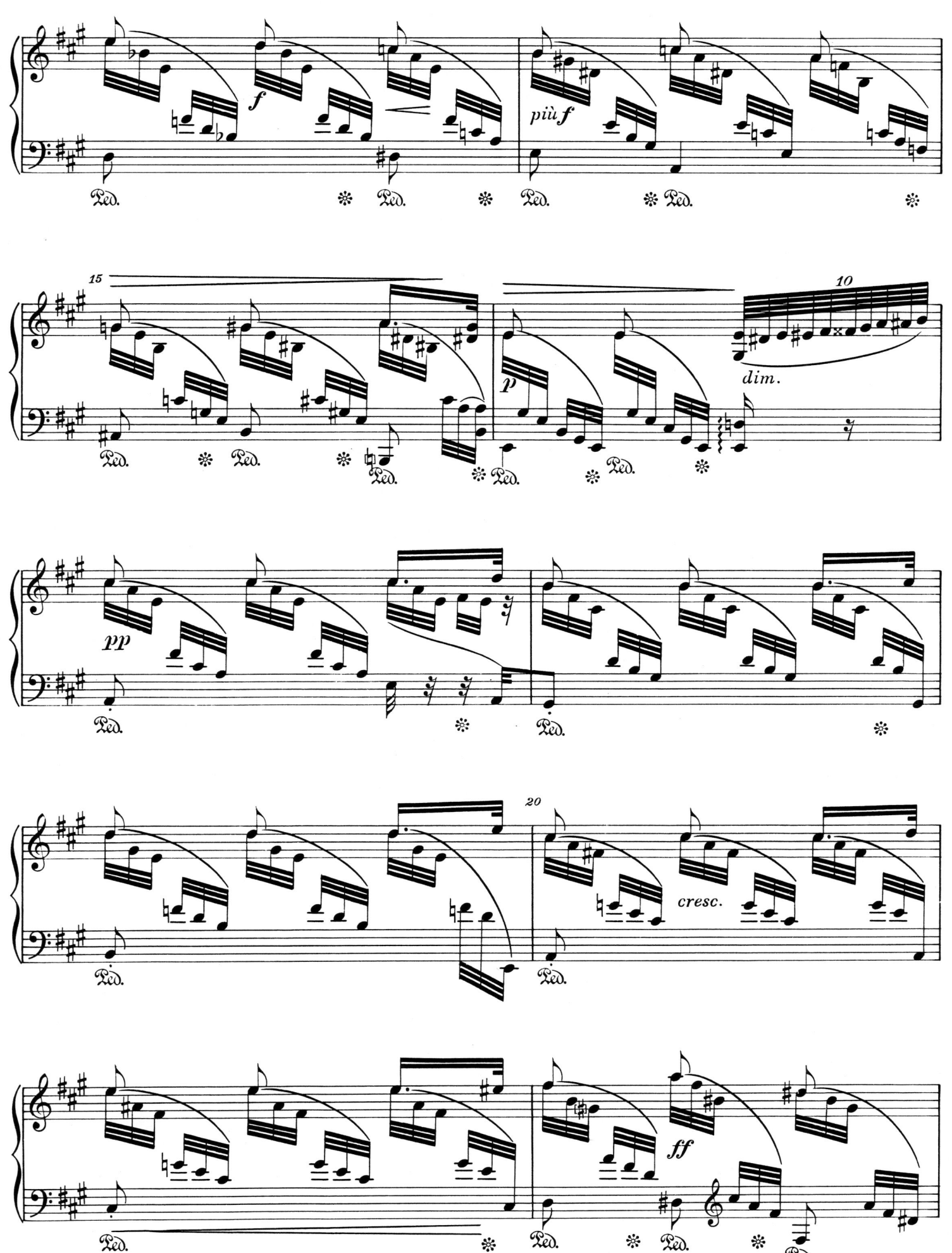

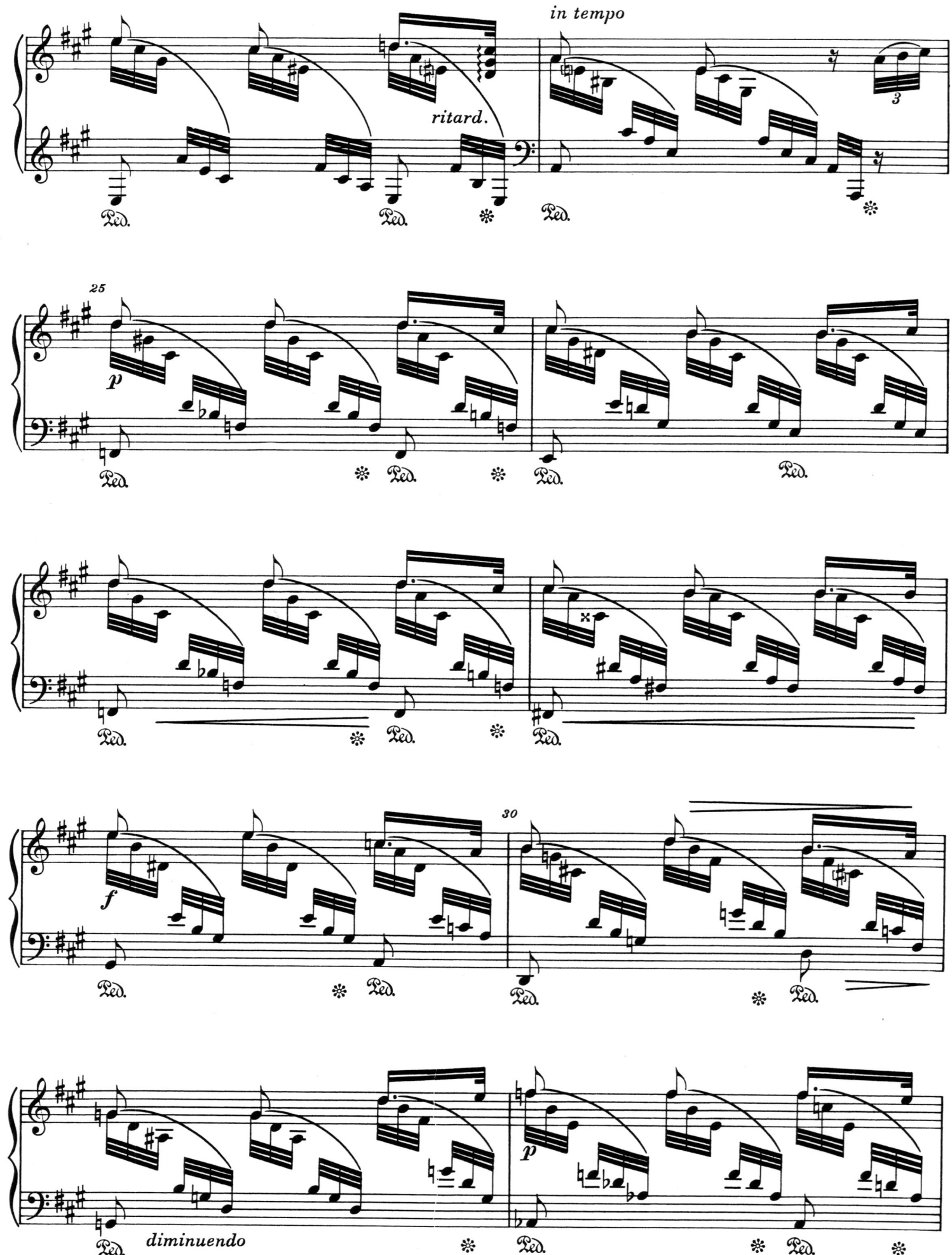

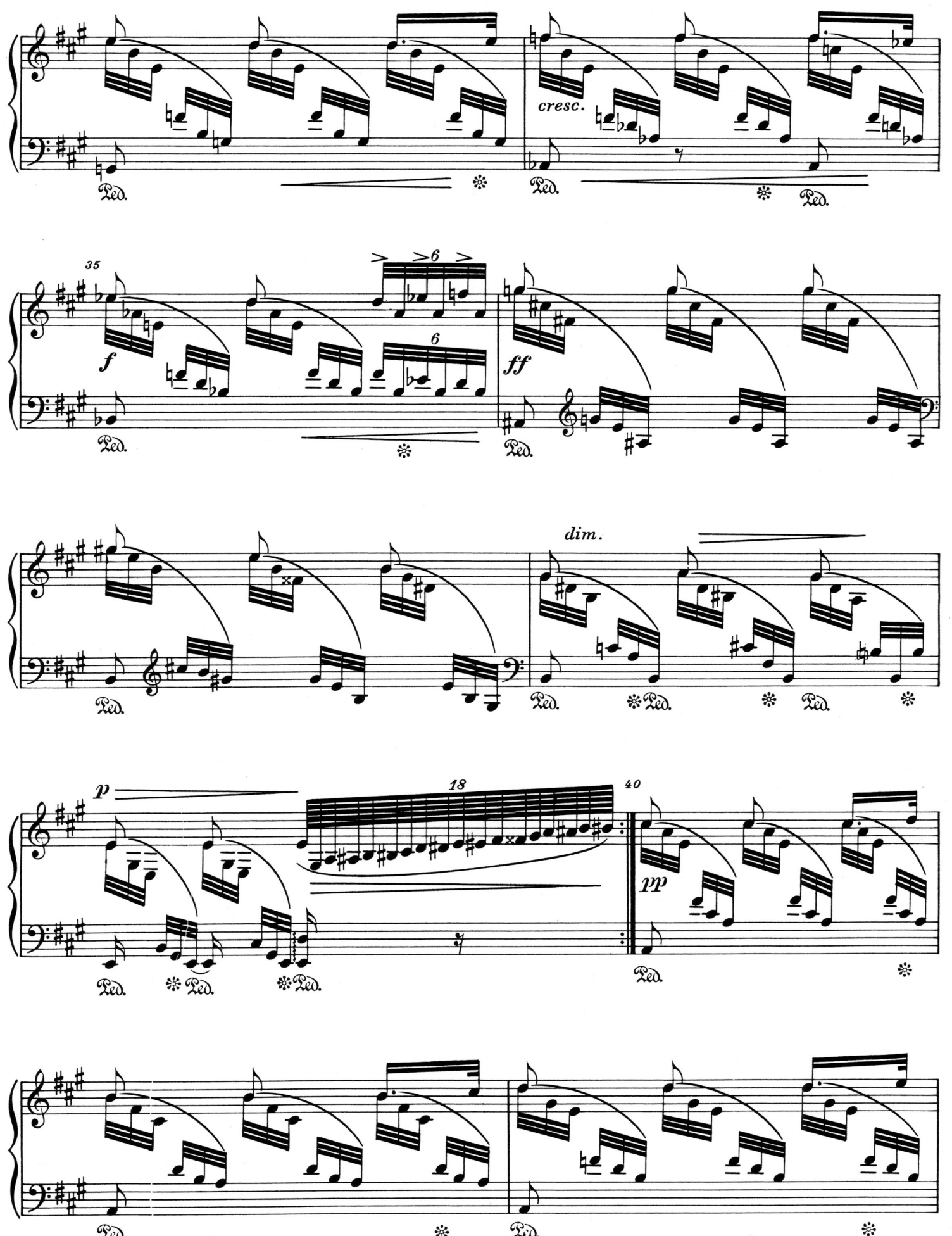

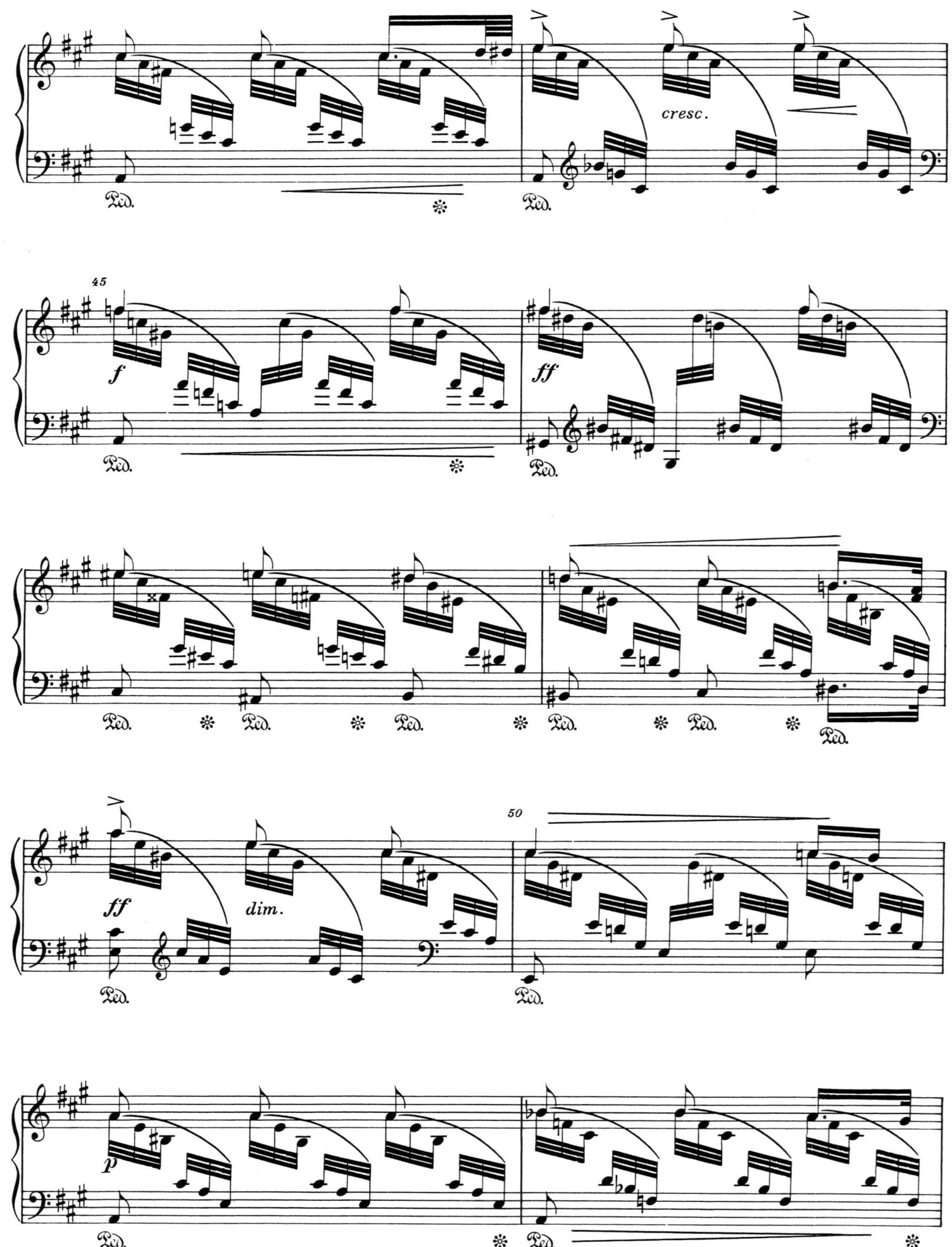

5. SELSKÁ BALADA
BAUERNBALLADE · PEASANTS' BALLAD
BALLADE CHAMPETRE

Vysoká 18.5.89.

6. VZPOMÍNÁNÍ

KLAGENDES GEDENKEN · REVERIE
SOUVENIR

7. FURIANT

EIN TANZ · FOLK DANCE

DANSE

8. REJ SKŘÍTKŮ

KOBOLDSTANZ · GOBLINS' DANCE
DANSE DE LUTINS

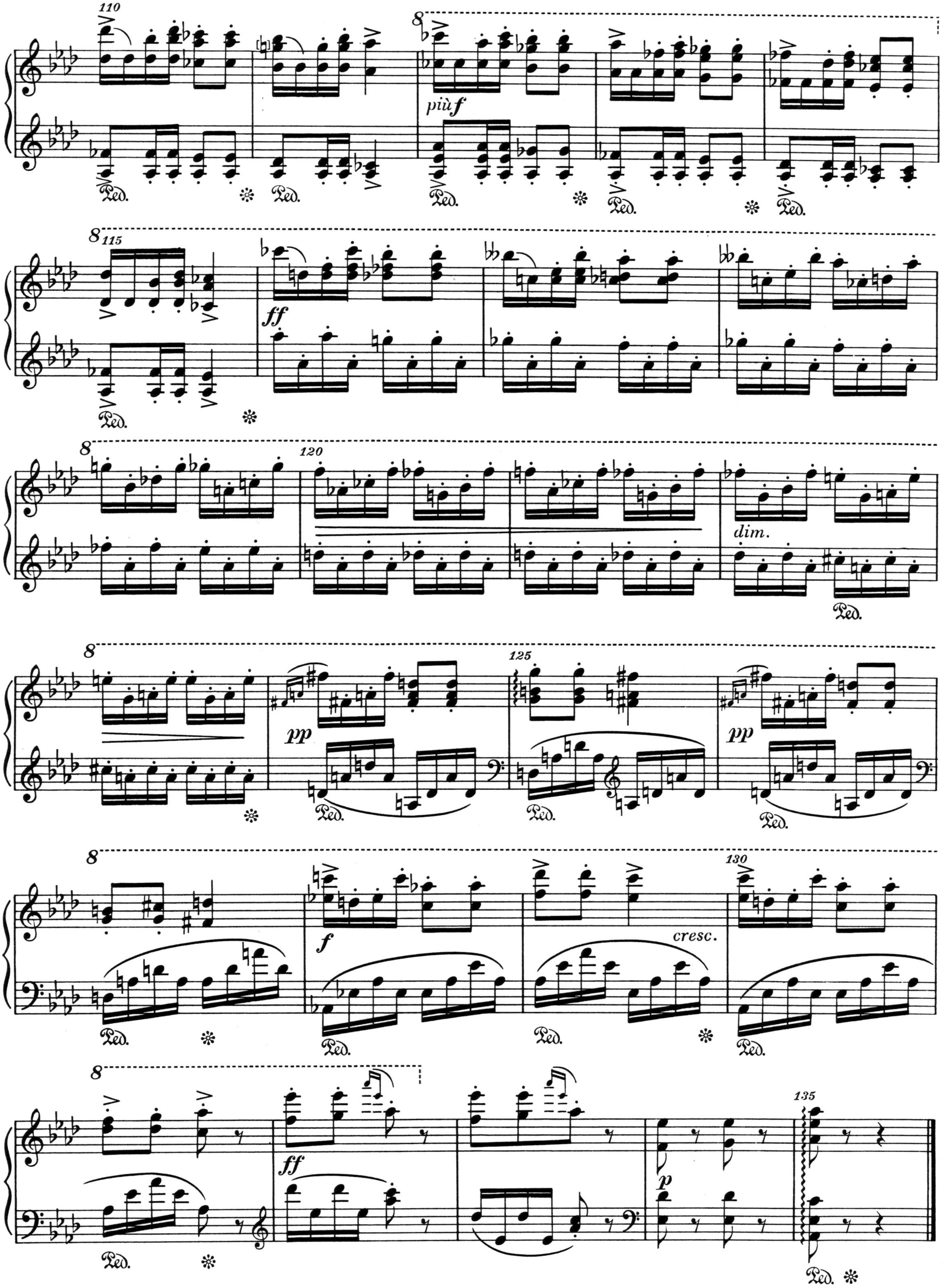
più f
ff
dim.
pp
f
cresc.
p
Ped.

9. SERENÁDA

SERENADE · SERENADE

SERENADE

Moderato e molto cantabile

27. 5. 1889

10. BAKCHANALE
BACCHANAL · BACCHANALIA
BACCHANALE

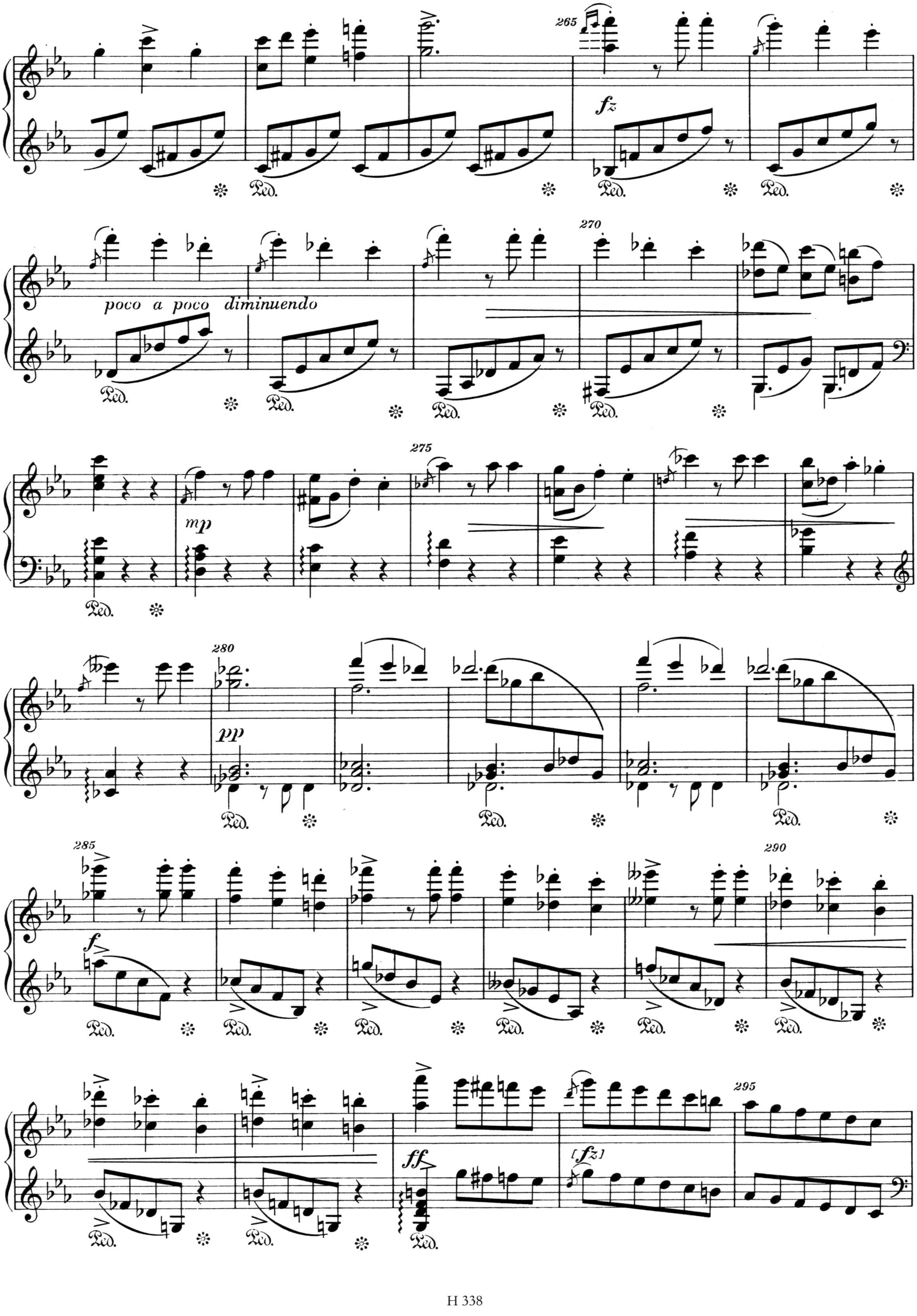
265
fz
Ped.
poco a poco diminuendo
270
275
mp
280
pp
285
f
290
ff
[fz]
295

Vysoká 13. 5. 1889

11. NA TÁČKÁCH

PLAUDEREI · TITTLE-TATTLE
CAUSERIE

Vysoká 14. 5. 1889

12. U MOHYLY

AM HELDENGRABE · AT A HERO'S GRAVE

PRES DE LA TOMBE D'UN HEROS

Grave, tempo di marcia

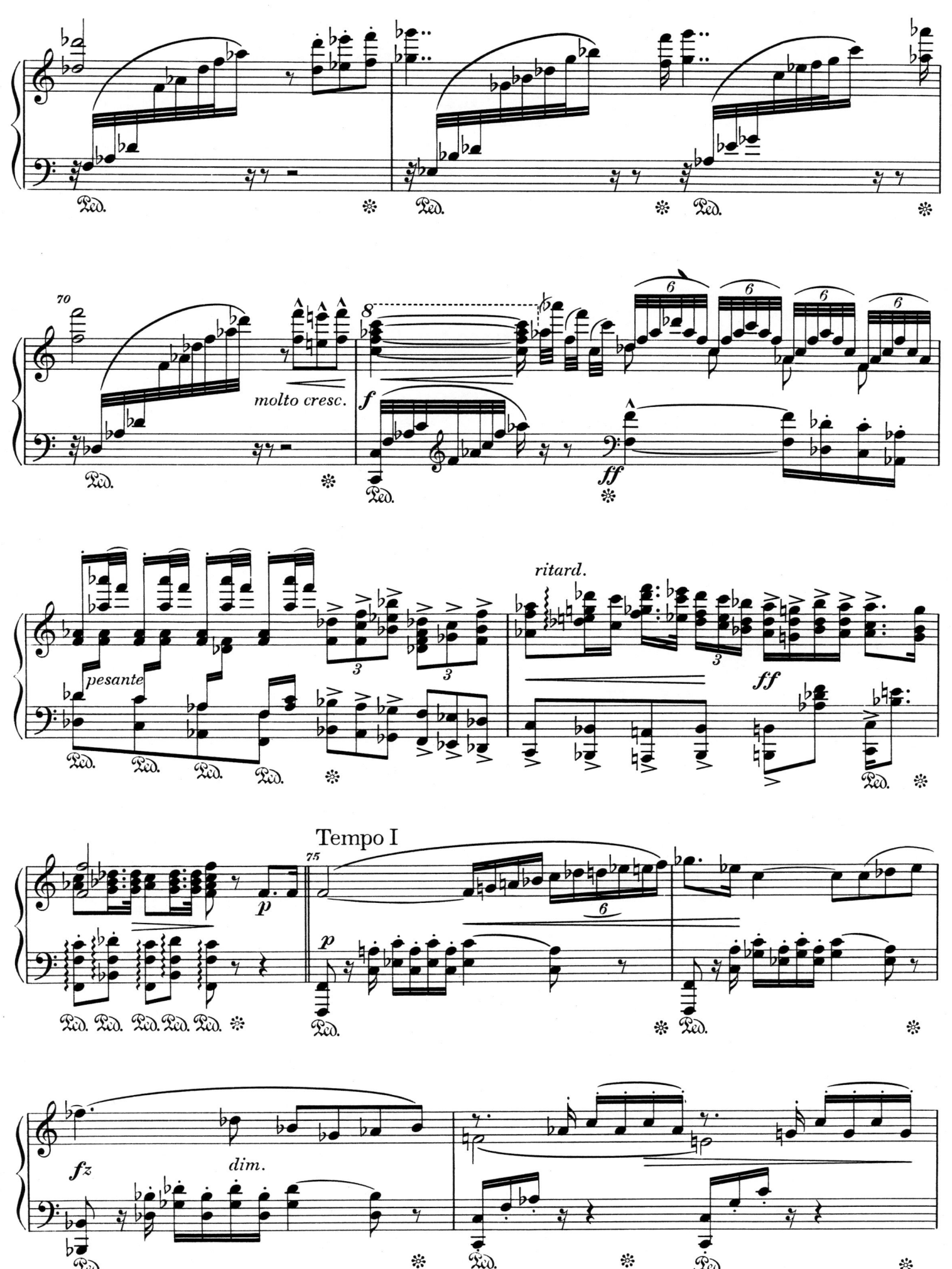

Vysoká 4.6.1889

13. NA SVATÉ HOŘE

AUF DEM HEILIGEN BERG · ON THE HOLY MOUNT

A LA MONTAGNE-SACREE

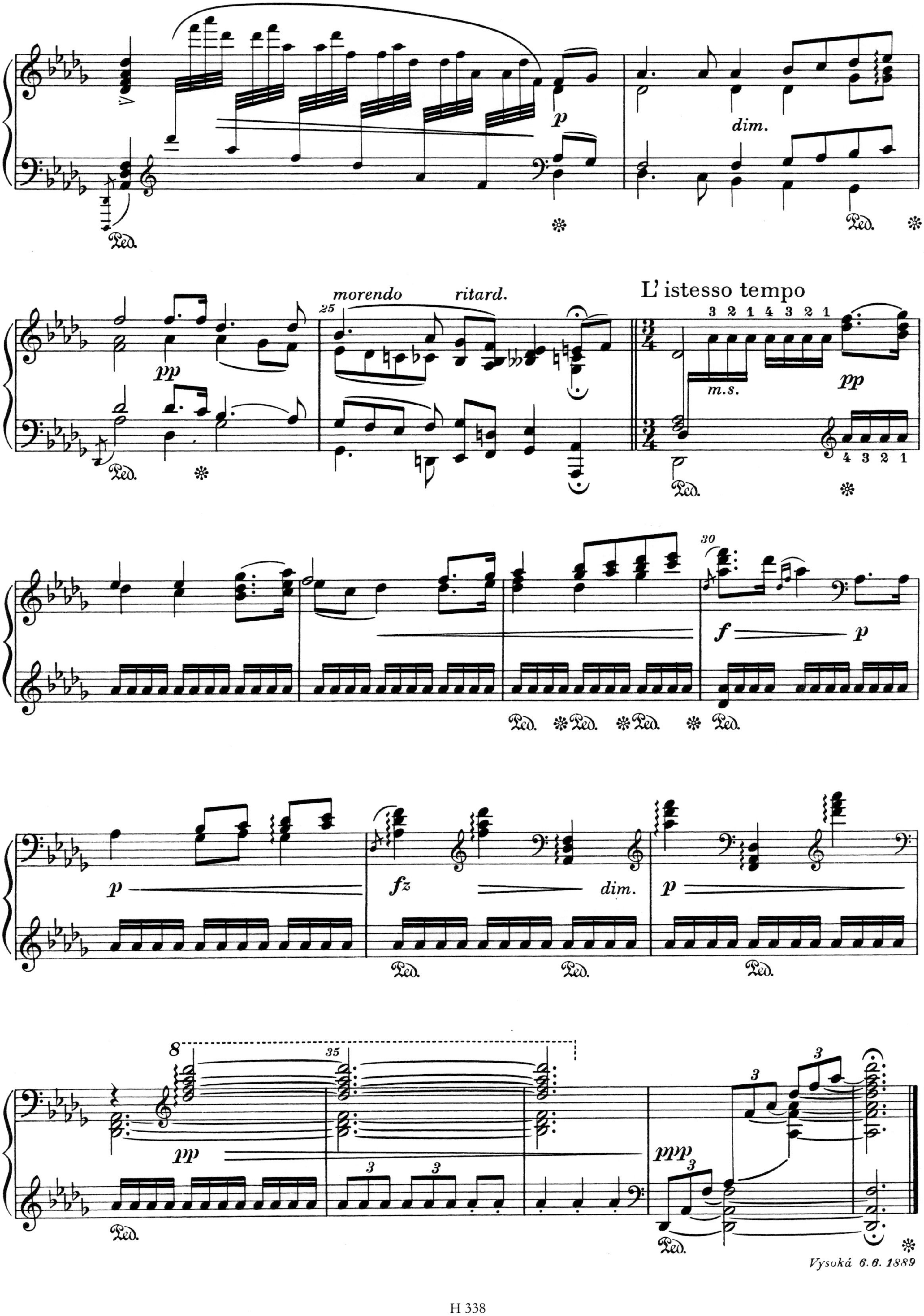

L' istesso tempo

Vysoká 6.6.1889

VYDAVATELSKÁ ZPRÁVA

PRAMENY:

a) Autograf ze sbírek hudebního oddělení Národního musea v Praze, invent. číslo 848/52. Má 37 listů 12řádkového notového papíru podélného formátu rozměrů přibližně 255—260 mm : 330 mm. Notový zápis, psaný dvořákovsky výrazným notopisem, zaujímá celkem 69 stran; z nich str. 14 (závěr č. 2), str. 24 (závěr č. 4) a str. 49 (závěr č. 9) jen z části. Prázdné jsou stránky 18 (po č. 3), 50 (po č. 9) a 74 (poslední, po č. 13). Jinak je notový zápis psán na každé stránce ve čtyřech dvouřádcích s vynechanou jednou řádkou mezi těmito dvouřádky. Titulní list má vlevo český, vpravo německý nápis

Poetické nálady
13 klavírních skladeb (pro dvě ruce)
složil
Ant. Dvořák
op. 85.

(za přeškrtnutým číslem 84, které dostala zpěvohra „Jakobín", vzniklá nedlouho předtím). Pod tímto nápisem následují ve třech skupinách (podle sešitového vydání Simrockova) názvy jednotlivých skladeb, a to na levé polovině listu pod sebou názvy české, na pravé polovině názvy německé. Německý název je tu však vynechán u č. 6, 8 a 12. Německé názvy chybí též v záhlaví skladeb č. 6 a 8, kdežto u č. 12 je vpravo od středu tužkový nápis kurentem *Am Heldengrabe*. Není vyloučeno, že tento překlad psal skladatel. Skladba č. 2 (Žertem) byla původně pojmenována *Žertovina* a č. 9 *Komická serenáda*. Změnu těchto názvů si Dvořák vyžádal dopisem Simrockovi ze 7. srpna 1889 až při korektuře. Tištěné názvy ostatních skladeb souhlasí s názvy v autografu. V pravém horním rohu v záhlaví prvních čísel (1, 5, 10) jednotlivých sešitů, těsně nad řádkou pravé ruky, je umístěn obyčejnou tužkou psaný skladatelův podpis ve zkratce *Ant. Dvořák op. 85, Heft I.*, (příp. *II. a III.*).

Autograf obsahuje řadu vpisků a oprav červeným inkoustem, o nichž podle písma lze soudit, že je psal dr Josef Zubatý (1855—1931), Dvořákův přítel, upravovatel jeho četných orchestrálních a komorních skladeb pro klavír na 4 ruce a některých klavírních výtahů. Jsou to všechny značky pedálové, opravy a doplňky dynamiky a někde i úpravy v zápise notovém. Ježto je nepochybné, že všechny tyto doplňky a změny byly provedeny se souhlasem skladatelovým, případně podle jeho pokynů, nepovažujeme za potřebné podrobně všechny zde vypočítávati a zatěžovati jimi do nepřehlednosti vydavatelské poznámky, které následují za touto zprávou. Přesto přejali jsme do poznámek alespoň nejdůležitější.

Autograf má zaznamenána pouze tato kompoziční data, která uvádíme ve věrném přepisu:

Na začátku prvého čísla (Noční cesta) *Začato v Praze 17. dubna 1889*, na konci pátého čísla (Selská balada) *Vysoká*

18. 5. 1889 a vždy na konci čísla devátého až třináctého data

$18 \frac{27}{5} 89$ (Serenáda), *Vysoká* $18 \frac{13}{5} 89$ (Bacchanale), *Vysoká* $18 \frac{14}{5} 89$ (Na táčkách), *Vysoká* $18 \frac{4}{6} 89$ (U mohyly), *Zaplať pán Bůh! Dokončeno dne 6. června 1889 na Vysoké. Antonín Dvořák* (Na Svaté Hoře). Z těchto dat je patrné, že skladby „Bacchanale" a „Na táčkách" vznikly již před skladbou „Selská balada" a byly až dodatečně zařazeny za „Serenádu" do třetího sešitu.

Číslování stránek je provedeno obyčejnou tužkou rukou skladatelovou, číslicemi 1—74. Titulní list číslován není. Číslicí 1 je opatřena teprve stránka druhá, na níž začíná notový zápis, avšak nejblíže následující stránka je označena jako 3. Chybí číslování stránek sudých až do stránky 12, dále od str. 16 do 22; odtud již pokračuje číslování průběžně až do konce. Dvojí číslování mají pouze liché stránky 39 (15) až 49 (25) a znovu opět jen liché stránky 53 (3) — 73 (23). Dle našeho přesvědčení nelze tvrditi, že by obojí číslování byl psal skladatel.

Prstoklady, jako např. v taktech 58 a 59 čísla 3 a v t. 26 čísla 13, předepsal skladatel a přetiskujeme je z autografu.

V taktech 102 — 104 m. s. čísla 5 (Selská balada) chybí první noty (B_1 — B); nad těmito třemi takty jsou obyčejnou tužkou nadepsány otazníky „?"; u třetího z nich rovněž obyčejnou tužkou *levá ruka*. Dle písma jde nepochybně o poznámku skladatelovu. V tomtéž čísle jsou v taktech 110 — 113 mezi řádky vepsány číslice 1 — 4. Následující opakující se takty 114 — 117 nejsou v autografu vypsány, nýbrž notový zápis nahrazen číslicemi 1 — 4, jakožto odkazem na předcházející čtveřici taktů.

Autograf je nyní odborně konzervován, tj. každý list je vložen do zvláštního diofanového sáčku a jejich soubor je svázán do pevných polokožených desek.

b) První tištěné vydání Simrockovo z r. 1889 ve třech sešitech (ed. č. 9245, 9246 a 9247).

Za základ našeho vydání byl vzat tisk Simrockův. Byl pečlivě porovnán s autografem. Podstatnější odchylky pramenů jsou uvedeny ve vydavatelských poznámkách. Podle autografu byly v našem tisku opraveny zřejmé tiskové omyly a doplněny podrobnosti v Simrockově vydání opominuté. Podle obdobných míst v autografu i tisku byla doplněna chybějící drobná přednesová znaménka. Závažnější doplňky vydavatelů uvádíme v hranatých závorkách [].

ZKRATKY:

A	= autograf
S	= vydání Simrockovo
SN	= toto vydání
Po	= klavír
m. d. (mano destra)	= pravá ruka

m. s. (mano sinistra) = levá ruka
Vers. I.   = původní znění, změněné skladatelem již v autografu
∅   = takty, které v autografu nejsou
[?]   = nezřetelný zápis v autografu

[!]   = přepsání v autografu nebo chyba v tisku

Velká arabská číslice označuje takt; k ní připojená malá číslice označuje příslušnou notu, příp. akord v taktu; pomlky se nepočítají.

REVISIONSBERICHT

QUELLEN

a) Das Autograph aus den Sammlungen der Musikabteilung des Nationalmuseums in Prag. Inv. Nr. 848/52. Es umfaßt 37 Blätter eines zwölfzeiligen Notenpapiers im Längsformat von annähernd 255 — 260 mm : 330 mm. Die von Dvořák in seiner charakteristischen Art geschriebene Notenniederschrift umfaßt im ganzen 69 Seiten; davon S. 14 (Schluß von Nr. 2), S. 24 (Schluß von Nr. 4) und S. 49 (Schluß von Nr. 9) nur zu einem Teil. Leer sind die SS. 18 (nach Nr. 3), 50 (nach Nr. 9) und 74 (die letzte, nach Nr. 13). Ansonsten ist die Notenniederschrift auf jeder Seite in vier Doppelzeilen, mit Auslassung einer Zeile zwischen ihnen, geschrieben. Die Titelseite hat links die tschechische, rechts die deutsche Überschrift

Poetische Stimmungsbilder
13 Klavierkompositionen für zwei Hände
verfaßt von
Ant. Dvořák
op. 85.

(nach der durchgestrichenen Zahl 84, welche die kurz vorher entstandene Oper „Jakobiner" erhielt). Nach dieser Überschrift folgen in drei Gruppen (gemäß der Simrockausgabe in Heften) die Titel der einzelnen Kompositionen, u. zw. auf der linken Hälfte des Blattes hintereinander die tschechischen, auf der rechten Hälfte die deutschen Bezeichnungen. Doch bei den Nummern 6, 8 und 12 ist die deutsche Bezeichnung ausgelassen. Sie fehlt auch im Kopftitel der Stücke 6 und 8, während bei Nr. 12 rechts von der Mitte die Bleistiftbezeichnung in Kurrentschrift *Am Heldengrabe* steht. Es ist nicht ausgeschlossen, daß diese Bezeichnung der Komponist selbst schrieb. Das Stück Nr. 2 (Žertem — Tändelei) war ursprünglich *Žertovina* und Nr. 9 *Komische Serenade* bezeichnet. Die Änderung dieser Bezeichnungen verlagte Dvořák brieflich von Simrock am 7. August 1889 erst bei der Korrektur. Die gedruckten Bezeichnungen der übrigen Kompositionen stimmen mit jenen des Autographs überein. In der rechten oberen Ecke befindet sich im Kopftitel der ersten Nummern (1, 5, 10) der einzelnen Hefte, dich über der Linie der rechten Hand, die mit gewöhnlichem Bleistift geschriebene, verkürzte Unterschrift des Komponisten *Ant. Dvořák op. 85, Heft I.* (bezw. *II.* und *III.*).

Das Autograph weist eine Reihe von Einfügungen und Korrekturen mit roter Tinte auf, von denen man der Schrift nach schließen kann, daß sie von Dvořáks Freunde Dr. Josef Zubatý (1855—1931) geschrieben wurden, der zahlreiche Orchester- und Kammerwerke Dvořáks für Klavier zu vier Händen und einige Klavierauszüge einrichtete. Es handelt sich um sämtliche Pedalisierungszeichen, Berichtigungen und Ergänzungen der Dynamik und hie und da auch um Einrichtungen im Notentext. Da kein Zweifel besteht, daß alle diese Ergänzungen und Abänderungen mit Einverständnis des Komponisten, gelegentlich seinen Anweisungen gemäß vorgenommen wurden, halten wir es nicht für nötig, dies alles hier im einzelnen aufzuzählen und damit die diesem Bericht nachfolgenden Anmerkungen des Herausgebers bis zur Unübersichtlichkeit zu belasten. Immerhin haben wir wenigstens die wichtigsten in die Anmerkungen aufgenommen.

Das Autograph weist bloß jene Kompositionsdaten auf, die wir in getreuer Wiedergabe folgen lassen:

Am Anfang der ersten Nummer (Nächtlicher Weg) *Begonnen in Prag 17. April 1889*, am Schluß der 5. Nummer (Bauernballade) *Vysoká 18. 5. 1889* und stets am Schluß der Nummer 9—15 die Daten $18\frac{27}{5}89$ (Serenade), *Vysoká* $18\frac{13}{5}89$ (Bacchanale), *Vysoká* $18\frac{14}{5}89$ (Plauderei), *Vysoká* $18\frac{4}{6}89$ (Am Heldengrabe), *Gott sei Dank! Beendet am 6. Juni 1889 in Vysoká. / Antonín Dvořák* (Am Heiligen Berg).

Aus diesen Daten geht hervor, daß die Kompositionen „Bacchanale" und „Plauderei" schon vor der Komposition „Bauernballade" entstanden sind und erst nachträglich nach der „Serenade" in das dritte Heft eingereiht wurden.

Die Numerierung der Seiten ist mit gewöhnlichem Bleistift von der Hand des Komponisten mit den Ziffern 1—74 durchgeführt. Das Titelblatt ist nicht paginiert. Erst die zweite Seite, auf welcher der Notentext beginnt, ist mit der Ziffer 1 versehen, aber die nächstfolgende Seite ist als 3 bezeichnet. Es fehlt die Numerierung der geraden Seiten bis zur Seite 12, weiters von S. 16 bis 22; von dort an geht die Paginierung durchlaufend bis zum Schluß weiter. Eine doppelte Paginierung haben nur die ungeraden Seiten 39 (15) bis 49 (25) und weiters wiederum nur die ungeraden Seiten

53 (3) — 73 (23). Unserer Überzeugung nach kann nicht behauptet werden, daß beide Paginierungen der Komponist geschrieben hätte.

Die Fingersätze, wie z. B. in den Takten 58—59 der Nummer 3 und in T. 26 der Nummer 13, schrieb der Komponist vor und wir übernehmen sie aus dem Autograph.

In den Takten 102—104 m. s. der Nummer 5 (Bauernballade) fehlen die ersten Noten (B₁ — B); über diesen drei Takten sind mit gewöhnlichem Bleistift Fragezeichen *?* geschrieben; über dem 3. Takt ebenfalls mit gewöhnlichem Bleistift *linke Hand*. Der Schrift nach handelt es sich zweifellos um eine Anmerkung des Komponisten. In dieser Nummer sind in den Takten 110—113 zwischen den Zeilen die Ziffern 1—4 hineingeschrieben. Die folgenden, sich wiederholenden Takte 114—117 sind im Autograph nicht eingeschrieben, sondern der Notentext ist durch die Ziffern 1—4 ersetzt, als Hinweis auf die vorausgehenden vier Takte.

Das Autograph ist jetzt fachmännisch konserviert, d. h. jedes Blatt ist in ein separates Diaphansäckchen eingelegt und das ganze Konvolut in festen Halblederdeckeln gebunden.

b) Die gedruckte Ausgabe von Simrock aus d. J. 1889 in drei Heften (Ed. Nr. 9245, 9246 und 9.247).

Als Grundlage unserer Ausgabe diente der Simrockdruck. Er wurde mit dem Autograph sorgfältig verglichen. Wesentlichere Abweichungen der Quellen sind in den Anmerkungen des Herausgebers angeführt. Offenkundige Druckfehler wurden nach dem Autograph in unserer Ausgabe berichtigt und im Simrockdruck übersehene Details ergänzt. Gemäß analogen Stellen im Autograph und in der Druckausgabe wurden fehlende kleinere Vortragszeichen ergänzt. Wesentlichere Ergänzungen der Herausgeber sind in eckigen Klammern angeführt [].

ABKÜRZUNGEN:

A	=	Autograph
S	=	Ausgabe von Simrock
SN	=	die vorliegende Ausgabe
Po	=	Klavier
m. d. (mano destra)	=	rechte Hand
m. s. (mano sinistra)	=	linke Hand
Vers. I.	=	ursprüngliche, vom Komponisten schon im Autograph abgeänderte Fassung
∅	=	im Autograph nicht vorhandene Takte
[?]	=	unleserliche Stelle im Autograph
[!]	=	Schreibfehler im Autograph oder Druckfehler

Große arabische Ziffern bezeichnen den Takt; die ihnen beigefügten kleinen Ziffern bezeichnen die entspr. Note, bezw. den Akkord im Takt; Pausen werden nicht mitgezählt.

EDITOR'S NOTES

SOURCES:

a) The autograph housed in the Music Department of the National Museum in Prague, inventory number 848/52. It has 37 sheets of 12-staved notation paper, oblong-shaped approximately 255—260 mm : 330 mm. The notation itself is in Dvořák's distinctive handwriting and covers a total of 69 pages; of this number, page 14 (end of No. 2), page 24 (end of No. 4) and page 49 (end of No. 9) are not entirely filled up with notation. Pages 18 (after No. 3), 50 (after No. 9) and 74 (the last, after No. 13) are blank. Otherwise there is notation on every page in four double rows with of one blank staff between the two written ones. The title sheet has writing on the left side in Czech and on the right in German, and reads:

> *Poetic Tone-Pictures*
> *13 piano compositions (for two hands)*
> *composed*
> *by Ant. Dvořák*
> *op. 85.*

The opus No. 85 replaces the number 84, which was crossed out and given to the opera "Jacobin", written shortly before. There are three groups of names below this title (as was customary in Simrock editions) of the individual compositions: they appear in Czech on the left half of the sheet, one under the other, and on the right half of the page in German. The German names, however, have been omitted for Nos. 6, 8 and 12. The German names are also missing at the top of the pages for numbers 6 and 8, but for No. 12, on the right hand side of the page half way down, written in German script in pencil are the words *Am Heldengrabe*. It is possible that the composer wrote this translation. Composition No. 2 *(Toying)* was originally entitled *Žertovina* and No. 9 *Komická serenáda* (Comical serenade). Dvořák asked for these names to be changed in a letter to Simrock dated 7 August, 1889, when the proofs were ready. The printed titles of the other compositions conform to the names in the autograph. In the upper right-hand corner at the top of the page of the first numbers (1, 5, 10) of the individual sections, just above the right-hand notation staff there is written, usually in pencil, the composer's abbreviated signature *Ant. Dvořák op. 85, Heft I.*, (II. or III. as the case may be).

The autograph contains a number of entries and corrections in black ink, which, judging from the letters, were written by Dr. Josef Zubatý (1855—1931), Dvořák's friend, the man who arranged four-hand piano and piano versions of many orchestral and chamber works. All these marks are for pedalling, corrections and additions to the dynamics, and sometimes a change in the notation. Since there is no doubt that all these additions and changes were carried out with the composer's approval, and perhaps even on his instructions, we do not believe it necessary to discuss them at length and thereby burden the editor's notes, which follow these remarks, with unnecessary ballast. Nonetheless we have incorporated into these notes at least the most important alterations.

The autograph only gives the following dates:

At the beginning of the first number (Noční cesta) *Začato v Praze 17. dubna 1889* (Begun in Prague 17 April 1889), at the end of number five (Selská balada) *Vysoká 18. 5. 1889* and then at the end of numbers nine to thirteen the date $18\frac{27}{5}89$ (Serenáda), *Vysoká* $18\frac{13}{5}89$ (Bacchanale), *Vysoká* $18\frac{14}{5}89$ (Na táčkách), *Vysoká* $18\frac{4}{6}89$ (U mohyly), followed by the words *Zaplať pán Bůh! Dokončeno dne 6. června 1889 na Vysoké. / Antonín Dvořák* (Na Svaté Hoře) (Thanks be to God! Finished on 6 June 1889 at Vysoká. / Antonín Dvořák.) From these dates it is evident that the compositions „Bacchanale" and „Na táčkách" were written before the „Selská balada" and were subsequently placed after the „Serenáda" in the third part.

The pagination has been made with an ordinary pencil in the composer's hand, numbering 1 to 74. The title sheet has no number. Number 1 appears only on the second page on which the notation begins, but the following page then reads 3. No pagination has been written in until page 12, and it is missing again from pages 16 to 22; but starting from 22 the pagination proceeds normally to the very end. Only the odd pages 39 (15) and 49 (25) have double numbers, and further the odd pages 53 (3) to 73 (23) as well. In our view it cannot be said with certainty that both numbers were written by the composer.

The fingering, for instance in bars 58 and 59 of number 3 and in bar 26 of number 13 were rewritten by the composer and print them in the autograph.

In bars 102 to 104 of the left hand of number 5 (Selská balada) the first notes (B₁ — B) are missing; over these three bars, written in ordinary lead pencil, are question marks "?"; and next to the third of these question marks, also written in ordinary pencil, are the words *levá ruka* (left hand). Judging from the handwriting this was undoubtedly written by the composer. In the same piece in bars 110 to 113, the numbers 1 to 4 are written between the staff lines. Bars 114 to 117, which are a repeat, are not written into the autograph but replaced by the numbers 1 to 4, analogously to the preceding four measures.

The autograph has now been professionally conserved, i.e. every sheet has been placed in a special diaphonic bag and the whole thing is bound in firm semi-leather covers.

b) The first printed Simrock edition of 1889 in three parts (ed. no. 9245, 9246, and 9247).

The basis for our edition is the Simrock print. It was carefully compared with the autograph. More important deviations from the sources are mentioned in the editor's notes. In line with the autograph, obvious printing errors were corrected in our edition and minor details that were omitted in the Simrock edition were added. According to analogous places in the autograph and the printed edition, minor performance indications, which had been omitted, were added. More important additions by the editor are shown in square brackets [].

ABBREVIATIONS:

A	= autograph
S	= Simrock edition
SN	= the present edition
Po	= piano
m. d. (mano destra)	= right hand
m. s. (mano sinistra)	= left hand
Vers. I.	= original version changed by the composer in the autograph
∅	= bars that do not appear in the autograph
[?]	= unclear notation in the autograph
[!]	= rewritten in the autograph or a printing error.

The big Arab numerals indicates a measure; a small numeral next to it indicates the proper note, or chord in the measure; the rests are not included.

NOTES DE L'EDITEUR

SOURCES:

a) L'autographe faisant partie des collections du département de la musique au Musée national de Prague est inventorié sous le No. 848/52. Il se compose de 37 feuilles de papier à musique à 12 lignes de format longitudinal, de dimensions approximatives de 255—260 mm : 330 mm. Les notations musicales, écrites de l'écriture typique de Dvořák, occupent au total 69 pages, dont la page 14 (conclusion No. 2), la page 24 (conclusion No. 4) et la page 49 (conclusion No. 9), seulement en partie. Vides sont les pages 18 (après le No. 3), 50 (après le No. 9) et 74 (la dernière après le No. 13). Par ailleurs, les notations musicales sont écrites sur chaque page en quatre double-lignes, entre lesquelles une ligne est toujours sautée. La page du titre est à gauche munie de l'inscription en tchèque et à droite de l'inscription en allemand:

Impressions poétiques
13 compositions pour piano (à deux mains)
compositions de Antonín Dvořák
op. 85.

(Après le No. 84 qui est rayé et lequel a été appliqué dans l'opéra „Jakobín" (Le Jacobin), créé peu de temps auparavant). Sous cet en-tête suivent en trois groupes (selon l'édition des Cahiers de Simrock) les titres de diverses compositions, de sorte que sur la moitié gauche de la feuille sont placés, les uns sous les autres, les titres tchèques, et sur la moitié droite les titres allemands. Mais le titre allemand est cependant omis lorsqu'il s'agit des numéros 6, 8 et 12. Les titres allemands manquent également sur les en-têtes des compositions numérotées 6 et 8, tandis qu' à côté du No. 12, se trouve, à droite du milieu, une inscription au crayon en caractères gothiques — „*Am Heldengrabe*" (*Près de la tombe d'un héros*). Il n'est pas exclu que cette traduction est du compositeur lui-même. La composition No. 2, „*Žertem*" (*Badinerie*) et le No. 9 „*Komická serenáda*" (*Sérénade comique*). Le compositeur Antonín Dvořák a demandé le changement de ces titres par une lettre écrite à Simrock le 7 Août 1889, mais seulement lors des épreuves. Les titres imprimés des autres compositions correspondent aux titres de l'Autographe. Dans le coin droit, en haut de l'en-tête des premiers numéros, 1, 5 et 10, des divers cahiers, tout près au-dessus de la ligne de la main droite, se trouve en abrégé et écrite par un crayon ordinaire, la signature *Ant. Dvořák op. 85.*, Heft I (Cahier I), éventuellement II et III.

L'autographe comporte un certain nombre de paranthèses et de corrections à l'encre rouge dont on peut, en se basant sur l'écriture juger, qu'elles furent écrites par le Dr Josef Zubatý, (1855—1931), ami de Dvořák, adaptateur de ses nombreuses compositions pour orchestre et musique de chambre pour piano à quatre mains et de certains arrangements pour piano. Ce sont toutes les signes pour pédales, des corrections et compléments de la dynamique et parfois même des arrangements dans la notation musicale. Etant donné qu'il n'ait aucun doute que tous ces compléments et modifications furent réalisés avec l'accord du compositeur, éventuellement même selon ses propres indications, nous ne croyons pas indispensable de les énumérer tous ici et d'encombrer par là, jusqu'à rendre confuses, les annotations des éditeurs, annotations qui suivent ce communiqué. Mais nous en avons malgré cela choisi au moins les plus importants changements.

L'autographe ne comporte que ces quelques dates des diverses compositions que nous présentons ici fidèlement:

Au début du premier numéro „Noční cesta" (En cheminant dans la nuit), *Commencé à Prague le 17 Avril 1889*, à la fin du cinquième numéro „Selská balada" (Ballade champêtre), *Vysoká, 18. 5. 1889* et à chaque fin des numéros 9 à 13 des dates $18\frac{27}{5}89$ „Serenáda" (Sérénade), *Vysoká* $18\frac{13}{5}89$ „Bacchanale" (Bacchanale), *Vysoká* $18\frac{14}{5}89$ „Na táčkách" (Causerie), *Vysoká* $18\frac{4}{6}89$ „U mohyly" (Près de la tombe d'un héros), *Dieu merci! Terminé le 6 Juin 1889 à Vysoká. Antonín Dvořák* „Na Svaté hoře" (A la Montagne sacrée).

Il ressort de ces dates que les oeuvres „Bacchanale" et „Causerie" ont pris naissance déjà avant la composition de la „Ballade champêtre" et ne furent que plus tard classées après la „Sérénade", dans le troisième cahier.

La pagination a été faite par le compositeur lui-même à l'aide d'un crayon ordinaire, par des chiffres 1—74. La page du titre ne porte pas de chiffre. Par le chiffre „1" n'est marquée que la seconde page, sur laquelle débute la notation musicale, mais la page suivante est déjà marquée du chiffre „3". Il manque la pagination des pages paires jusqu'à la page 12, puis de la page 16 à la page 22. De là le numérotage des pages continue normalement jusqu'à la fin. Une double pagination ne possèdent que les pages impaires 39 (15) jusqu'à la page 49 (25) et puis à nouveau que les pages impaires 53 (3) à 73 (23). Selon notre propre conviction, il n'est point possible d'affirmer que les paginations, aussi bien les unes que les autres, aient été écrites par le compositeur lui-même.

Les doigtés, comme par exemple dans les mesures 58 et 59 du numéro 3 et dans la mesure 26 du numéro 13, ont été prescrits par le compositeur et nous les réimprimons selon son autographe.

Dans les mesures 102—104 m. s. du No. 5 (Ballade champêtre), manquent les premières notes (B_1 — B); au-dessus de ces trois mesures sont écrits, à l'aide d'un crayon ordinaire, des points d'interrogation — „?"; à la troisième d'elles sont écrits, également au crayon, les mots: *main gauche*. Selon l'écriture, il s'agit sans nul doute d'une annotation du compositeur. Dans le même numéro sont, dans les mesures 110—113, entre les lignes, inscrites les chiffres 1—4. Les mesures suivantes, 114—117, qui se répètent, ne sont pas inscrites dans l'autographe, mais la notation musicale est remplacée par les chiffres 1—4, en tant que référence sur les quatre mesures précédentes.

L'autographe est à présent conservé de façon conforme aux règles des spécialistes, c'est-à-dire que chaque feuille est placée dans un sac diophantin et l'ensemble est lié dans une reliure solide en demi-peau.

b) Première édition de Simrock, imprimée en 1889 en

trois cahiers (éd. numéros 9245, 9246 et 9247).

Nous avons pris comme base de notre édition la publication de Simrock. Elle a été méticuleusement comparée avec l'autographe. Des écarts plus substantiels des sources d'origine sont mentionnés dans les annotations de l'éditeur. Selon l'autographe ont été dans notre publication corrigées certaines erreurs évidentes de l'imprimerie et certains détails, omis dans l'édition de Simrock, y ont été ajoutés. Selon des analogies de l'autographe et des diverses publications, ont été également ajoutés des menus signes de nuances et d'exécution qui y manquaient. Nous présentons les compléments des divers éditeurs et qui sont d'une plus grande importance entre des paranthèses carrées [].

ABRÉVIATIONS:

A	= autographe
S	= Edition de Simrock
SN	= la présente édition
Po	= piano
m. d. (mano destra)	= main droite
m. s. (mano sinistra)	= main gauche
Vers. I.	= original modifié déjà dans l'autographe par le compositeur
∅	= mesures qui ne se trouvent pas dans l'autographe
[?]	= inscription peu lisible dans l'autographe
[!]	= erreur ou modification dans l'autographe ou une faute d'impression

Un grand chiffre arabe désigne une mesure; un petit chiffre y joint indique la note respective, à la rigueur un accord dans les mesures; les pauses ne sont pas comptées.

VYDAVATELSKÉ POZNÁMKY

ANNOTAZIONI

14 Vers. I.: segue vide

37—44 Vers. I.: *senza repetizione*
45 Vers. I.: *ff*
48 Vers. I.: senza ⟩———

51—52 Vers. I.: senza *p* ———
60₁ m. s. A: *a*; S : *c¹* (vide 151); SN = S.
95₆ m. d. A: *d³*; S : *g²—h²—d³*; SN = S
102 Vers. I.: *sempre legato e molto tranquillo*
124 Vers. I.: *Allegretto*
132₂₋₄, 133₆₋₈ m. s. A, S: *fis—d¹*; SN : *fis—h—d¹* (ex analog. t. 41, 42)

2

1 A: *sempre staccato*; S: — ; SN = S
13 A: — ; S = *a tempo*; SN = S

31, 32 Vers. I.:

56 Vers. I.: ∅
78—85 Vers. I.: *senza repetizione*

3

6 m. d. Vers. I.:

9₂—10₂ Vers. I.:

30₅₋₁₂ m. d. Vers. I.: loce (non in ottava alta)
32—35 Vers. I.: ∅
65₂, 66₂, 67₂ m. d. Vers. I.:

4

1   A: *Poco allegretto*
16 A: segue vide

18₉ m. s. A, S: *gis;* SN : *h* (ex analog. t. 9)
35₁₁ m. d. A: *fis²* [!]; SN = S
40   A: — ; S : *pp*

5

16 Vers. I.: segue vide

38 A: — ; S = *pesante*
75 A Vers. I.: segue vide

156 A Vers. I.: segue vide

6

55₇,₁₀ m. s. A: *fisis;* S : *fis* [!]
57   A: segue vide

7

8   m. d. Vers. I.:

108 m. d. Vers. I.:

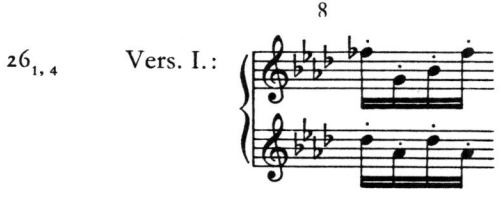

8

26₁,₄ Vers. I.:

46₄   m. d. A, S: *as¹—c²—es²;* SN = *c²—es²* (ex ana-
       log.)
47₂—48₁ Vers. I.:

49—52	Vers. I.: ∅
81	Vers. I.: *Poco più mosso quasi Tempo I.*
92	Vers. I.: *Meno mosso*
95	Vers. I.: segue vide

133_2 m. d. A, S: g^2; SN : g^2—es^3 (ex analog. t. 62)

10

	A, S: *Bachanale*
1	Vers. I.: *Presto*
53—58	m. s. Vers. I.: [?]
59—60	m. s. Vers. I.:

62—63   m. d. Vers. I.: [?] :

65—70	m. s. Vers. I.: *in ottava alta*
305_6	(ossia) m. s. Vers. I.: c^1
307_2	(ossia) m. s. Vers. I.: b
307_4	(ossia) m. s. A: b; SN = S
308_2	(ossia) m. s. Vers. I.: as
$311_4, 312_2$	(ossia) m. s. Vers. I.: c
$313_{2\,4}$	(ossia) m. s. Vers. I.: B
314_4	(ossia) m. s. Vers. I.: As
314_6	(ossia) m. s. A: F; SN = S
315_2	(ossia) m. s. Vers. I.: As
315_4	(ossia) m. s. A: As: SN = S

11

1	A: *Andante*
10	m. s. Vers. I.: *secco*
$10_{1,5}$, $11_{1,5}$, 12_1, $13_{1,5}$, $14_{1,5}$, 15_1	(alto) m. d. Vers. I.: *senza*

18	A: segue vide
22	m. s. Vers. I.:
24	m. s. Vers. I.:
$33_2, 35_2$	A: ffz; SN = S
35_2	m. s. A, S: cis^1—g^1—h^1; SN : cis^1—e^1—g^1 (ex anal. t. 67)
58	Vers. I.: segue vide

$61_1, 62_1$	A: — ; S : p
65_2	A: ff; S : fz
70	A: fff; SN = S

12

1	Vers. I.:
10_{10}	m. d. A: c—es—f—as—c^1
33	A: segue vide

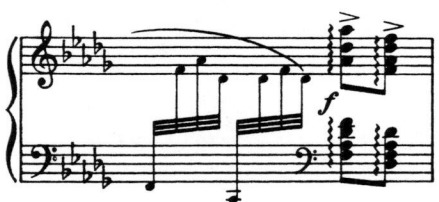

45₁₀₋₁₂ m. d. Vers. I.:

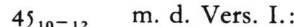

7217 m. d. A = g^1—c^2 [!]; S = ges^1—c^2
728 m. s. A: G—g [!]; S = Ges—ges
89 A: *ritardando*; S : —

18 Vers. I.:

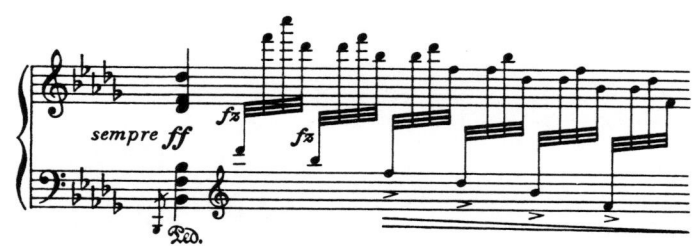

13

3 Vers. I.:

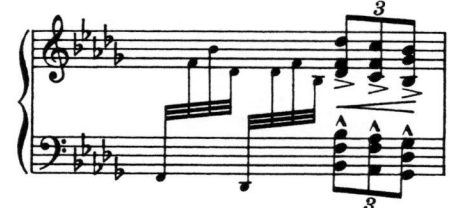

Dr. Antonín Čubr

H 338

SOUBORNÉ VYDÁNÍ DĚL ANTONÍNA DVOŘÁKA

GESAMTAUSGABE DER WERKE ANTONÍN DVOŘÁKS
COMPLETE EDITION OF ANTONÍN DVOŘÁK'S WORKS
EDITION COMPLETE DES ŒUVRES D'ANTONÍN DVOŘÁK

V/3 · B 161

POETICKÉ NÁLADY
POETISCHE STIMMUNGSBILDER
POETIC TONE-PICTURES
IMPRESSIONS POETIQUES

op. 85

PIANO

Grafická úprava František Muzika

Vydalo hudební nakladatelství Bärenreiter Praha s. r. o. v roce 2012
Odpovědný redaktor Ladislav Ščerbanič – Technická redaktorka Helena Kočmídová
Vytiskla Agentura 5 s. r. o., Horova 1631, CZ 252 63 Roztoky
4. vydání (v Bärenreiter Praha vydání první)
H 338 – ISMN 979-0-2601-0546-1

Bärenreiter Praha s. r. o., nám. Jiřího z Poděbrad 112/19, CZ 130 00 Praha 3
Tel.: (+420) 274 001 911, Fax: (+420) 222 220 829
info@baerenreiter.cz, www.baerenreiter.cz